EDOUARD VOYER.

Ce livre appartient à : ____________________

DIRECTION ÉDITORIALE : JANNIE BRISSEAU
MAQUETTE : ANNE-CATHERINE SOULETIE

N° de projet : 10027928 - (I) - (10) - CSBG-200
Impression et reliure : Pollina s.a., 85400 Luçon - n° 68168
Dépôt légal : septembre 1995
ISBN 2-09-211030-6

LES GRANDS LIVRES DE LA PETITE SOURIS

les lettres

Conception et texte de Anaël Dena
Illustrations de Christel Desmoinaux

NATHAN

A

Perchée tout
en haut du **A**,
la souris crie de joie.
Car elle a vaincu
son sommet pointu.

a a

Arbre

Avion

Accordéon

Amuse-toi à retrouver les petits dessins dans la grande image.

Avec ses deux
ventres collés,
le **B** laisse
bouche bée
la souris étonnée.

B

b b

Banane

Ballon

Bateau

Vois-tu d'autres objets dont le nom commence par A ou B ?

Bien installée
au creux du **C**,
la souris
s'est endormie.
Bonne nuit !

c c

Casquette

Clown

Carotte

Amuse-toi à retrouver les petits dessins dans la grande image.

Voyons, souris,
arrête de tirer !
Sinon tu vas
déformer le bel
arrondi du **D**.

D

d *d*

Dessin

Dauphin

Dominos

Vois-tu d'autres objets dont le nom commence par C ou D ?

E

Avec ses trois jambes
de côté, le **E** semble
un siège renversé.
La souris veut
le remettre sur ses pieds !

e *e*

Éléphant

Enveloppe

Écureuil

Amuse-toi à retrouver les petits dessins dans la grande image.

La souris fait
de la gymnastique.
Avec les deux
branches du **F**,
c'est très pratique !

F f *f*

Fleur

Faon

Fougère

Vois-tu d'autres objets dont le nom commence par E ou F ?

La souris a pris
son goûter allongée
sur la barre du **G**.
Mais la gourmande
a trop mangé !
C'est dur de se dégager !

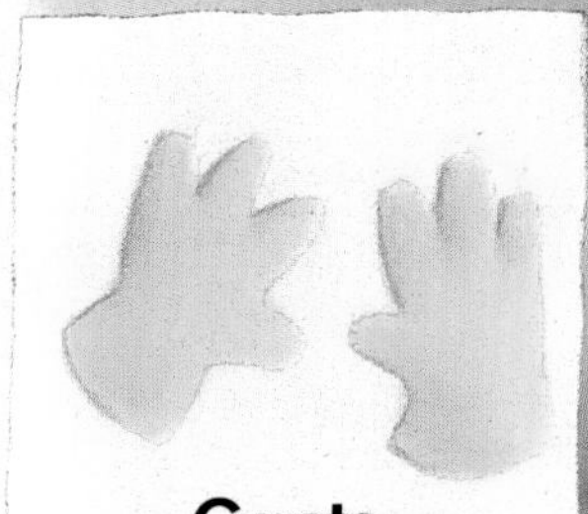

Gants

Garage

Guitare

Amuse-toi à retrouver les petits dessins dans la grande image.

Le **H** est fait
comme une échelle.
La souris se hisse
sur son barreau
et arrive tout
là-haut. Bravo !

H

h *h*

Hérisson

Hamac

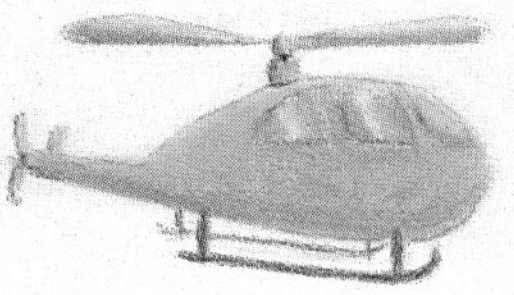

Hélicoptère

Vois-tu d'autres objets dont le nom commence par G ou H ?

I

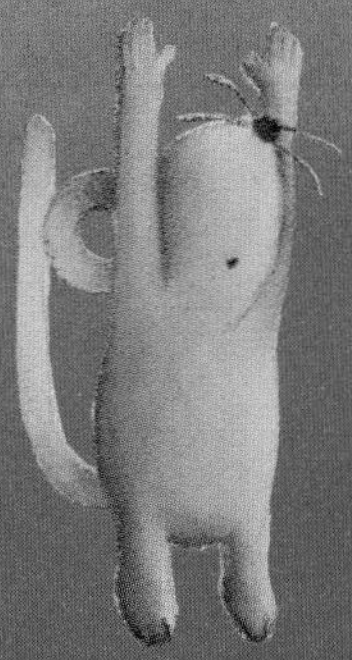

i *i*

Mais que fait la souris
avec ses bras collés
et ses oreilles dressées ?
Elle veut à tout prix
se tenir droite comme le **I** !

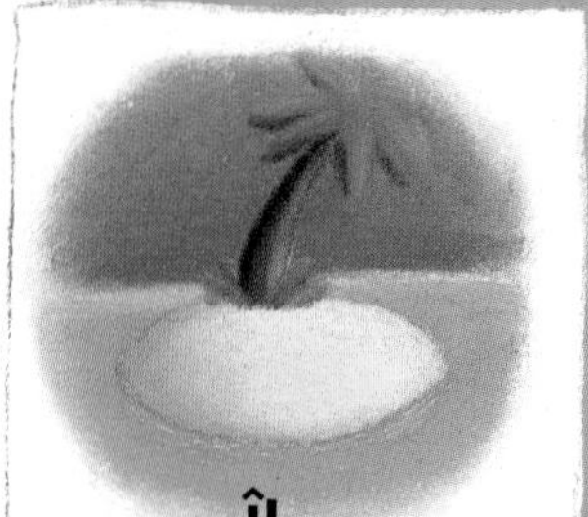

Île

Iguane

Indien

Amuse-toi à retrouver les petits dessins dans la grande image.

Le bas du **J**
est juste assez recourbé
pour que la souris
puisse y poser
son derrière rebondi.

J

j *j*

Jus

Jaguar

Jeep

Vois-tu d'autres objets dont le nom commence par I ou J ?

k *k*

La souris s'est accrochée
à l'une des barres du **K**.
Et sur l'autre,
elle a posé les pieds
pour ne pas glisser.

Kangourou

Kiosque

Koala

Amuse-toi à retrouver les petits dessins dans la grande image.

La souris voudrait tant
pouvoir soulever le **L** !
Mais elle a beau essayer,
il est vraiment
trop lourd pour elle.

L

L ℓ

Lézard

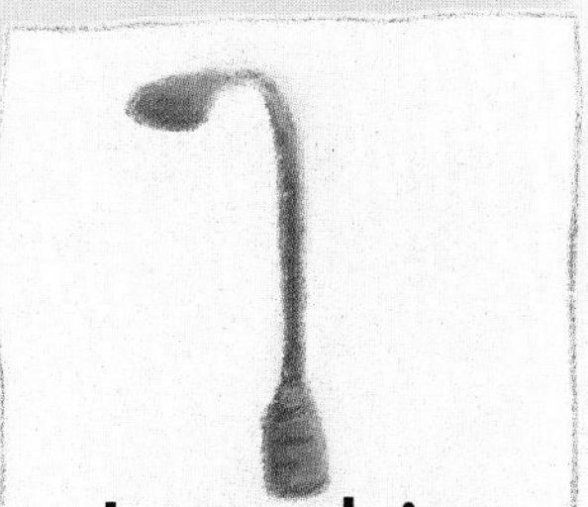

Lampadaire

Lion

Vois-tu d'autres objets dont le nom commence par K ou L ?

M

m *m*

La souris aime s'installer
sous les deux
sommets du **M**.
Car elle y est
à l'abri de la pluie.

Moto

Miroir

Masque

Amuse-toi à retrouver les petits dessins dans la grande image.

N

n n

La souris a pris le **N**
pour un toboggan.
Elle y glisse sans
se lasser, c'est vraiment
très amusant !

Noisette

Nid

Nuage

Vois-tu d'autres objets dont le nom commence par M ou N ?

Le **O** est rond
comme un ballon.
Mais ce n'est pas une raison
pour que la souris énervée
lui donne un grand
coup de pied !

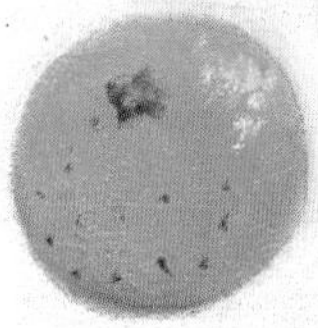

Orange

Okapi

Oignon

Amuse-toi à retrouver les petits dessins dans la grande image.

La souris est vexée,
car le **P** a refusé
de la laisser entrer
dans sa drôle
de tête perchée.

P

p *p*

Pigeon

Piano

Palmier

Vois-tu d'autres objets dont le nom commence par O ou P ?

Q

Qui a eu l'idée
d'ajouter au corps du **Q**
cette queue pointue ?
Ça fait rire la souris
qui trouve la sienne
bien plus jolie.

q *q*

Quart

Queue

Quiche

Amuse-toi à retrouver les petits dessins dans la grande image.

Avec sa jambe allongée,
le **R** a l'air prêt
à danser. La souris
veut l'entraîner
dans un rock endiablé.

R

r *r*

Rose

Radis

Ruban

Vois-tu d'autres objets dont le nom commence par Q ou R ?

S

Le **S** ressemble
à un serpent.
La souris intéressée
attend patiemment
qu'il se mette à siffler.

s s

Soleil

Scie

Sandwich

Amuse-toi à retrouver les petits dessins dans la grande image.

La souris s'est accrochée
sur un côté
de la barre du **T**.
Attention de ne pas
le faire basculer !

T

t *t*

Table

Tomate

Tente

Vois-tu d'autres objets dont le nom commence par S ou T ?

Le **U** n'aurait jamais
cru que la souris
irait s'installer
entre ses deux barres
pour faire
de la balançoire !

U *u*

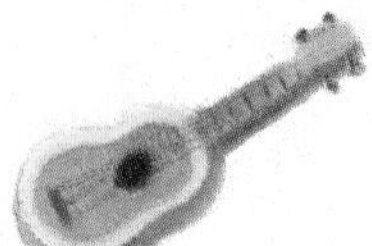

Ukulélé

Uniforme

Amuse-toi à retrouver les petits dessins dans la grande image.

Avec ses ailes déployées,
le **V** est comme un oiseau
prêt à s'envoler.
Et la souris espère
qu'il va l'emporter
dans les airs.

V

v v

Violon

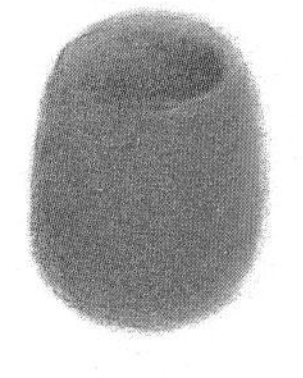

Vase

Viking

Vois-tu d'autres objets dont le nom commence par U ou V ?

W

Le **W** fait des vagues
comme une mer déchaînée.
Mais comme elles sont
plutôt pointues,
la souris hésite à y plonger.

w *w*

Wigwam

Western

Wapiti

Amuse-toi à retrouver les petits dessins dans la grande image.

La souris s'est cachée
juste derrière le **X**,
jambes et bras
écartés. Elle croit
qu'on ne la voit pas !

x x

Xylophone

Vois-tu d'autres objets dont le nom commence par W ou X ?

Y

Le **Y** est comme un arbre
que l'hiver a dépouillé.
Et la souris se demande
si ses feuilles
vont repousser.

Y *y*

Yacht

Yaourt

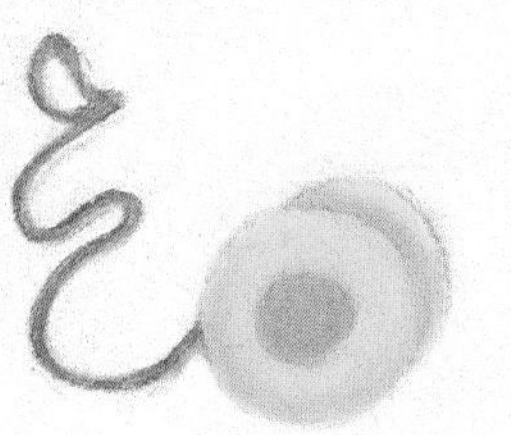

Yo-yo

Amuse-toi à retrouver les petits dessins dans la grande image.

La souris a décidé de
zigzaguer le long du **Z**. Mais
la voilà bien mal partie...
Affolée, elle crie :
- À l'aide ! À l'aide !

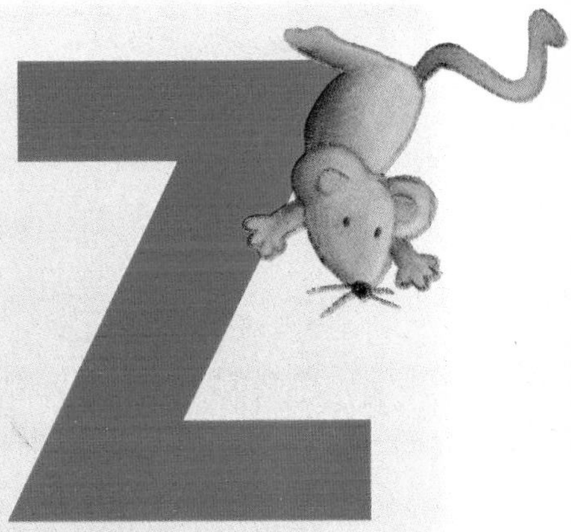

z *z*

Vois-tu d'autres objets dont le nom commence par Y ou Z ?

La comptine de l'alphabet

A B C : Céline câline Cédric

D E F : François félicite Félicie

G H I : Iris imite Isidore

J K L : Léon lave Lili

M N O : Olga obéit à Oscar

P Q R : Rachel relève Rémi

S T U : Ursule mesure Ugo

V W X : Xavier boxe Xanthie

Y Z : Zoé zigzague vers Zéphyr

Écoute la comptine et regarde les images. Observe ce que font les petits chiens et trouve leur nom.

À chacun son ballon

Il y a dix copains dans le pré. Ils ont envoyé dans le ciel des ballons colorés.

A a
B b
C c
D d
E e
F f
G g
H h
I i
J j
K k
L l
M m N n O o P p Q q R r S s T t U u V v

**Chaque petit chien
a écrit la même lettre en
grand sur son tee-shirt
et en petit sur son ballon.
Retrouve le ballon
qui appartient à chacun.
Pour t'aider,
regarde bien l'alphabet
autour de l'image.**

Le jeu des voyelles

a, e, i, o, u, y,
ce sont les voyelles.
Elles aiment se promener
dans les mots, c'est très rigolo !

Fais comme la souris : aide les petits chiens à retrouver leur livre dans la bibliothèque.

Dans le magasin

Dans le magasin, tout est mélangé.
Il y a même des boîtes
qui sont tombées !
Les petits chiens ont décidé
de bien les ranger.

Aide les petits chiens à ranger : retrouve les boîtes qui vont trois par trois. Peux-tu dire ce qu'elles contiennent ?

Les dessinateurs

Les petits chiens ont trouvé rigolo
de dessiner d'après des photos.
Ils ont aussi aimé recopier les mots.

Les petits chiens ont dessiné les photos accrochées au mur et ils ont aussi écrit les noms sur des étiquettes. Peux-tu retrouver le nom qui va avec chaque dessin ? Quelles sont les photos qui n'ont pas été copiées ?

La course aux lettres

Règle du jeu :

Pour jouer, il faut un pion par joueur et un dé. On place les pions au départ. Chaque joueur à son tour lance le dé et déplace son pion du nombre de cases correspondant.

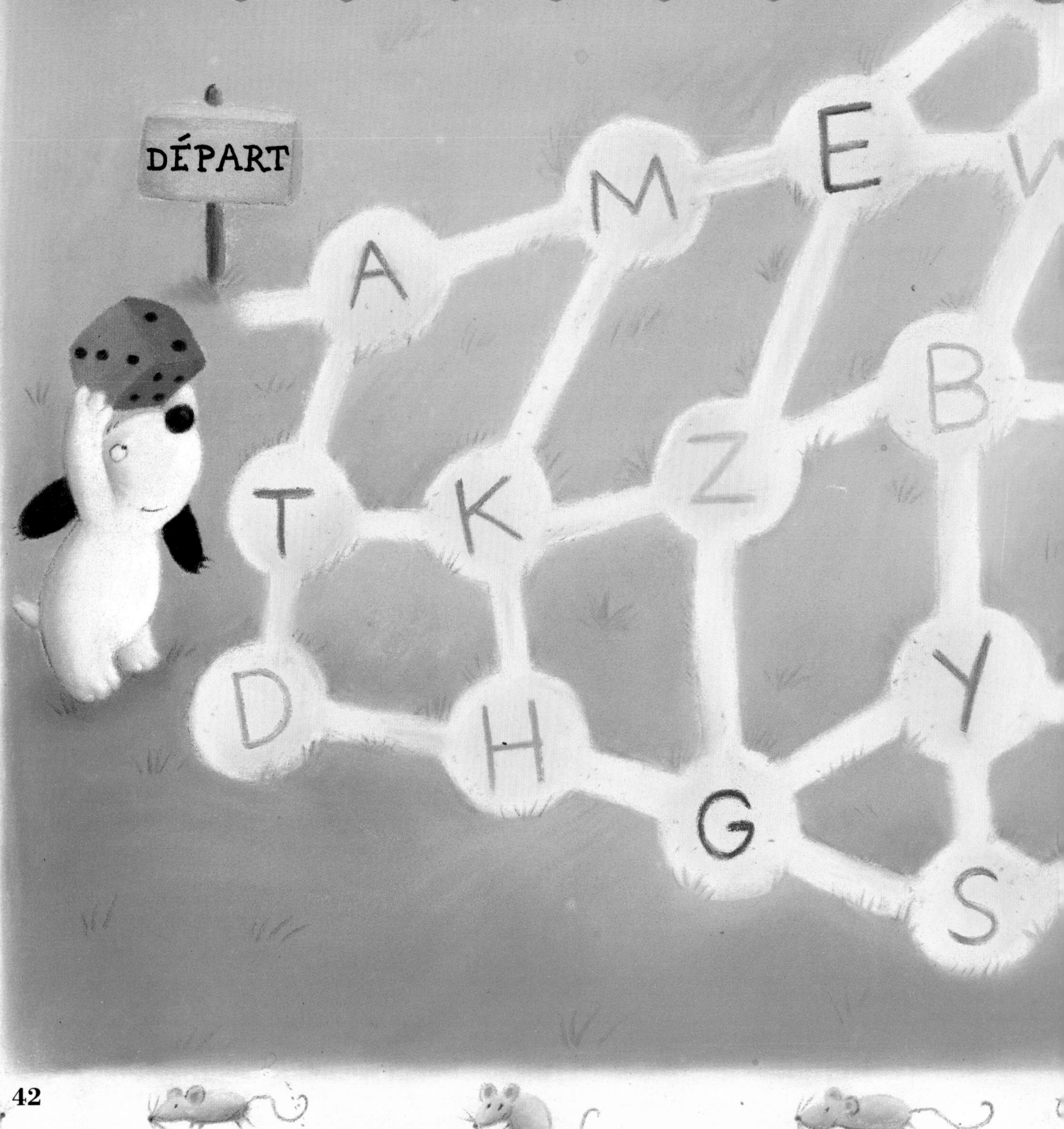

**Il peut choisir sa direction.
Arrivé sur une case, le joueur
doit trouver un prénom qui
commence par la lettre indiquée.
S'il n'y arrive pas,
il doit retourner d'où il vient.
Le gagnant est celui qui atteint
le premier la case d'arrivée.**

Des mots partout

Sur le cahier, on a écrit un mot qui commence par **I**.
Sur le livre, on a imprimé un mot qui commence par **C**.
Sur le tableau, on a dessiné un mot qui commence par **G**.
Sur le sol, on a tracé un mot qui commence par **D**.
Sur le mur, quelqu'un a peint un mot qui commence par **O**.

Igloo

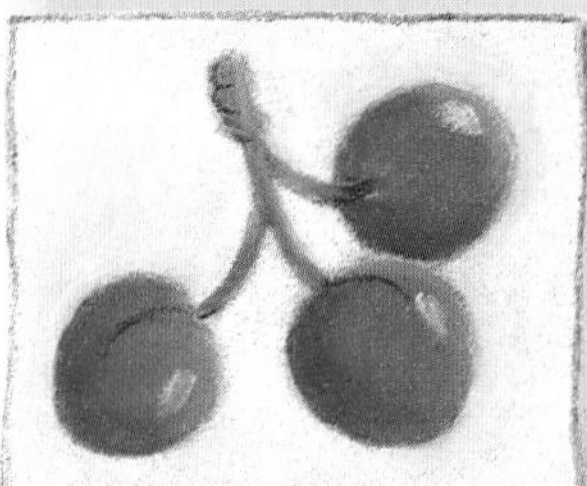
Cerise

Girafe

Dragon

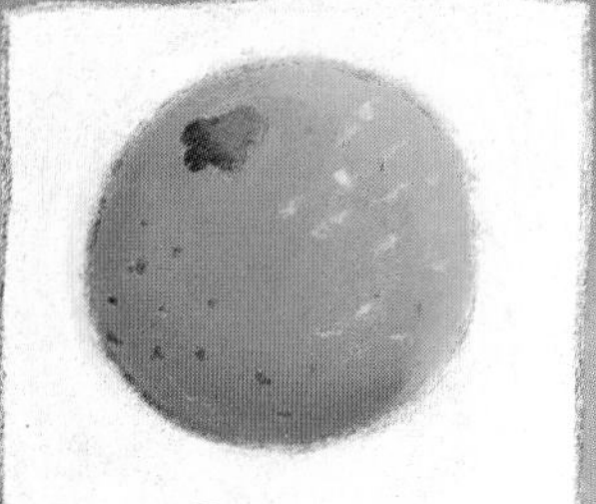
Orange

Écoute la comptine,
cherche les mots
dans la grande image
et les dessins
correspondants dans
les petites images.
Peux-tu deviner
ce que le petit chien
a écrit sur le cadeau
pour sa maman ?

n
r
o
p
w
v
x